Roger Willemsen

WER WIR WAREN

Zukunftsrede

S. FISCHER

Erschienen bei S. FISCHER
6. Auflage Februar 2017

© 2016 S. Fischer Verlag GmbH, Hedderichstr. 114,
D-60596 Frankfurt am Main

Satz: Dörlemann Satz, Lemförde
Druck und Bindung: CPI books GmbH, Leck
Printed in Germany
ISBN 978-3-10-397285-6

WER WIR WAREN

E s ist jetzt fünf bis sieben Millionen Jahre
her, da trennten sich die Hominiden von
den afrikanischen Affen. Einstimmig. Süd-
afrika war zu dieser Zeit nicht Savanne, sondern tropischer Regenwald, und da die größten Schöpfungsmythen der Welt nicht zufällig
im Wald beginnen, finden sich hier auch die
ersten Fußspuren des biologischen Menschen:
die Spuren kleiner Füße, denn wer durch die
Wipfel kletterte, benutzte vor allem die Hände.
Als der Wald aber ausdünnte, musste die af-
rikanische Baumbevölkerung auf den Boden
kommen und der Welt den aufrechten Gang
beibringen.

Vor ungefähr 3,5 Millionen Jahren ist ein sol-
cher Hominide in eine Höhle gefallen, vielleicht
ein dickfelliger, humorloser Materialist, der nie
nach dem Sinn seines Lebens fragte. Heute

wissen wir, dass es seine Bestimmung war, der erste Mensch zu sein, von dem wir erfahren sollten. Gefunden wurde er liegend, das Gesicht in den angewinkelten Arm gedrückt, in derselben kontemplativen Haltung wie später »Ötzi«.

Die Nachgeborenen erkennen in diesen Todesschläfern die letzten kompletten Menschen. Denn seit ihren Tagen ist der Mensch in der Krise, der Krise des Homo habilis, der Krise des Homo erectus und endlich der Krise Homo sapiens genannt, die sich als Krise der ganzen Welt herausstellen sollte. Wenn man es genau bedenkt, ist vom Anfang aller Tage an alles immer schlechter geworden. Luft und Wasser sowieso, dann die Manieren, die politischen Persönlichkeiten, der Zusammenhalt unter den Menschen, das Herrentennis und das Aroma der Tomaten.

Ja, der Globus hat Homo sapiens, und dessen einzige sichere Zukunft ist die Krise, der wir immer neue Namen geben, Namen wie Klimaerwärmung, Übersäuerung der Meere, Abschmelzen der Gletscher, Migration, Burnout, Dürre, Glaubens- und Handelskriege,

Ansteigen des Meeresspiegels, Austrocknung der Wüsten, Ressourcenknappheit, Überbevölkerung, Artensterben, multiresistente Keime. Wir können es nicht mehr hören, nicht wahr? Wir wollen trotzdem von der Zukunft reden, aber was meinen wir eigentlich: die Fabrikation einer Welt, abseits ihrer Existenzbedingungen, Fantasy, Cyber-Glanzbildchen, Science-Fiction ohne Science, Future-Kitsch?

Heute sind die Konsequenzen unseres Lebens und Handelns so dramatisch, dass man uns, anders als die Menschen des 19. Jahrhunderts, an unseren globalen Wirkungen wird erkennen müssen, und es ist signifikant: Die Welten der Zeitung, der Wissenschaft, der Literatur und Fotografie, des Films, des Fernsehens sind geradezu kontaminiert von den Bildern des Unheils – Bildern, die vom Sterben und Aussterben, Verkümmern, Verdursten, Ersticken, Schmelzen, Ertrinken oder Verbrennen sprechen. Selbst die großen kommerziellen Kinofilme schwelgen seit Jahrzehnten in Endzeitphantasien, unterhaltsamen Apokalypsen, finalen Katastrophen, und doch werden alle diese Bilder aus Wissenschaft, Kunst oder Entertainment wie die Hervorbringungen eines einzigen Genres betrachtet und mit derselben Routine ins Abseits gesehen, ins Periphere, Übersehene, wenn nicht Unsichtbare verschoben. Sie lehren uns, wie das geht: Nichtwissen im Wissen zu behaupten; nicht gewusst zu haben werden, während man doch wusste.

Die Welt altert in Schüben. Wir bestimmen die Dynamik ihres Alterns mit. Gerade altert sie erheblich, denkt sich aber immer neue Bequemlichkeiten aus, geeignet, dies Altern unfühlbar erscheinen zu lassen. Woher nehmen wir nur all unser Nichtwissen? Aus der Ignoranz weniger als aus der Ironie, sie bildet eine Immunschicht des Uneigentlichen gleichermaßen vor dem Ernst der Verhältnisse wie vor der Moral der Konsequenz.

Doch seltsam: Mag die Welt auch vor die Hunde gehen, die Zukunft hat dennoch ein blendendes Image, und selbst verkitscht zu Wahlkampf-Parolen, verkauft sie sich so gut, als wäre sie wirklich noch ein Versprechen. Nichts weist darauf hin, dass wir in unserer Zukunft sicherer, gesünder, freier, friedlicher leben werden – bequemer, das ja, effizienter, unsentimentaler, all das, aber wessen Himmel bevölkern schon die Sachwalter des Pragmatismus?

Die Zukunft, das ist unser röhrender Hirsch über dem Sofa, ein Kitsch, vollgesogen mit rührender Sehnsucht und Schwindel. Die Zukunft der Plakate existiert ganz losgelöst von den Prognosen unseres Niedergangs. Sie ist auf die immer gleiche Weise steril. In der Kraft ihrer Ignoranz hat sie keinen Bewegungsspielraum, sie steht in sich, weshalb man auch sagen kann: Was nicht neu ist, das ist die Zukunft.

Trotzdem wird öffentlich getan, als enthalte der Einbruch der Zukunft in die Gegenwart die Verheißung einer erregend frischen Zeit, die jedem neu die Chance eröffne, zum Zeitgenossen zu reifen. Aber tun das nicht die Produkte auch, die mit dem Aufdruck »neu« suggerieren, jeder eben eingetroffene Artikel sei ein Triumph über die vergangenen?

Zur letzten Jahrtausendwende schwebten Zigarettenschachteln als erleuchtete Raumschiffe ins All, der neueste Standard von Autos und

Küchengeräten, die siebte Dimension von Konsumgütern wurde durch die Verbindung zum Orbit illustriert, und man verstand: Diese Güter besuchen uns aus der Zukunft, Abgesandte aus einer kommenden Welt des Komforts. Sie wirkten so einsam in ihrem All, weil sie ohne Vergleich existierten, Vorboten einer eigenen Spezies von Waren, Unikate einer zeitgemäß futuristischen Lebensart. Bezeichnend, dass die Epoche, die zugleich die größten Massendemonstrationen der Zukunftsangst auf die Straßen brachte, in der öffentlichen Bilderwelt den schönen Orbit, die unbedrohte Zukunft herbeihalluzinierte.

Zwanzig Jahre später ist nichts so antiquiert wie Science-Fiction, und kein Werber glaubt mehr, ein Produkt werde jünger, indem man es aus dem Weltall anreisen lässt. Das Bewusstsein kennt weitere Fernreisen als die zur Raumstation ISS. Jeder Computer animiert mühelos, jedes Musikvideo simuliert genüsslich jenen Zustand von Schwerelosigkeit, der für eine Zeitlang das utopische Lebensgefühl offenbar am besten repräsentierte und uns heute nur noch von fern an das All erinnert. Der Orbit ist alt geworden. War er früher Inbegriff der Zukunft, so haben wir heute auch ihn hinter uns.

Wo Zeitungen und Fernsehprogramme unseren Weg in die Zukunft zu entziffern versuchen, sagen sie gern: »Immer mehr Menschen ...«, und dann kommt eine neue Sexualpraktik oder ein Hobby, für das es keinen anderen Aufhänger gibt als die fingierte Aktualität unseres Aufbruchs in die Zukunft. »Immer mehr Menschen« flunkert uns vor, die Zeit bewege sich linear, konsequent, einer inneren Logik folgend, dabei finden viele Prozesse des Gemeinschaftslebens zirkulär statt, widersprüchlich, launisch, modisch, impulsiv, und eben das bindet unsere Aufmerksamkeit, während sich die Entwicklung der Lebensräume, des Klimas, der ökologischen Bedingungen stetig und linear beschreiben lässt und uns auch deshalb langweilt.

Da es sich bei den Bildern, die wir uns von der Zukunft machen, also um Fabrikationen handelt, sollten wir an dieser Zukunft zunächst einmal ihre Vergänglichkeit beobachten, anders gesagt, die Vorstellungen ansehen, mit denen

Menschen in diese dritte Ekstase der Zeit hineinirrten, und zwar auch, weil sie die Zukunft in der eigenen Zeit nicht identifizieren konnten. Anders gesagt: Sie irrten sich. Ihre Vorstellung von dem, was unsere Lebensräume ausmachen würde, war blümerant, und so sprachen sie mit Nachdruck Überzeugungen aus, über die sich die Zeit gerade mit großen Schritten hinwegsetzte.

In einem Mercedes Simplex sitzend, sagte Kaiser Wilhelm II. 1904: »Das Auto hat keine Zukunft. Ich setze auf das Pferd.« Und Gottlieb Daimler 1901: »Die weltweite Nachfrage nach Kraftfahrzeugen wird eine Million nicht überschreiten – allein schon aus Mangel an verfügbaren Chauffeuren.« Im selben Jahr bemerkte Wilbur Wright, ein Pionier der Luftfahrt: »Der Mensch wird es in den nächsten fünfzig Jahren nicht schaffen, sich mit einem Metallflugzeug in die Luft zu erheben«, und der französische Militärstratege Ferdinand Foch 1911: »Flugzeuge sind interessant, haben aber keinerlei militärischen Wert.« Der futuristische Schriftsteller H. G. Wells schrieb 1901: »Tut mir leid, aber ich kann mir beim besten Willen nicht vorstellen, was U-Boote im Krieg bewirken könnten – außer, dass sie ihre Besatzungen dem Erstickungstode aussetzen.« Harry M. Warner, Chef von Warner Brothers, 1927: »Wer zum Teufel, will denn Schauspieler sprechen hören?« Lee De Forest, der Vater des Radios, 1926: »Auf das Fernsehen sollten wir keine Träume vergeuden, weil es sich einfach nicht finanzieren lässt.« Und Darryl F. Zanuck, Chef der Filmgesellschaft 20th Century-Fox, konstatierte noch 1946: »Der Fernseher wird sich auf dem Markt nicht durchsetzen. Die Menschen werden sehr bald müde sein, jeden Abend auf eine Sperrholzkiste zu starren.«

Nicht anders im Fall von Computern: »Ich denke, dass es einen Weltmarkt für vielleicht fünf Computer gibt.« So Thomas Watson, CEO von IBM, 1943. »Es gibt keinen Grund, warum jeder einen Computer zu Hause haben sollte«, Ken Olsen, Gründer von Digital Equipment Corp. im Jahr 1977. »Das Internet wird wie eine spektakuläre Supernova im Jahr 1996 in einem katastrophalen Kollaps untergehen«, wusste schließlich Robert Metcalfe, der Erfinder der Ethernet-Verbindung, die heute der Standard für kabelbasierte Netzwerke ist.

Ja, die Zukunft wird fabriziert, und nicht selten sind wir gerade da am altmodischsten, wo wir uns selbst überschreiten wollen. Offenbar können wir uns selbst nicht entkommen. Dabei wird die Zukunft meist gegenständlich vorgestellt. Man versucht, ein Design, eine Architektur vorauszuahnen, hat Vorstellungen von autonomen Geräten, von ungeahnten Möglichkeiten des Komforts, einer avancierten Form, das Gemeinschaftsleben zu versachlichen. Wir denken an intelligente Kleidung, auf Hirnströme reagierende Häuser, Wohnmaschinen, an Lieferservices, die Gedanken lesen können, Drohnen als Dienstleister, Straßenbeleuchtung, die mit uns wandert, Service-Roboter, Reisen, die als Hirn-Implantate eingesetzt werden, Kühlschränke, die unseren Cholesterinverbrauch kontrollieren, automatisierte Verkehrsmittel, an totale Sicherheit, totale Überwachung.

Wir können diese Vorstellungen aus der kommenden Warenwelt, dem Verkehr, dem Datenstrom, den Komfortzonen künftiger Dienstleistungen immer weiter treiben. Der erste utopische Roman wurde im fünfzehnten Jahrhundert geschrieben. Seither ist die futurologische Phantasie dem technisch Machbaren kontinuierlich vorausgelaufen, und eine Zeitlang war es ein Sport der James-Bond-Macher, technische Spielzeuge zu erfinden, die sich in der nicht-filmischen Welt erst später bewähren sollten.

Hier war der Film Avantgarde der Sicherheits- und Rüstungsindustrie. In der übrigen Welt aber hatte inzwischen selbst der Begriff der Moderne Patina angesetzt, der Moderne als Versuch, das Gegenwärtige, Zeitgemäße, Relevante der eigenen Zeit zu identifizieren. Diese Moderne entspricht der Sehnsucht des Menschen, in der Jetztzeit zu leben. »Das Beste am Neuen in der Kunst«, sagte Paul Valéry, »entspricht stets einem alten Bedürfnis.«

Doch kaum ein Wort ist so rapide gealtert wie »modern«. Modern war der Leitbegriff vor »cool«, »hip«, »trendy«, »angesagt«, er wurde abgelöst von »In-« und »Out«-Listen. Der Begriff

»modern« hatte Bedeutung, als es »moderne Kunst« gab, als Charlie Chaplin seinen Film »Moderne Zeiten« taufte, als Zeitungsressorts sich »Modernes Leben« nannten und die dümmste Musik »Modern Talking« hieß. Inzwischen hat sich der Begriff zurückgezogen und dem Eintritt in die Beliebigkeit der Postmoderne Platz gemacht. Allenfalls lebt er fort als die moderne Familie, die moderne Kirche, die moderne Medizin, die moderne SPD, und »Modernisierer« sind heute Menschen, die Stellen wegrationalisieren, also eigentlich Abwickler mit beschönigendem Namen.

Während also im Künstlerischen »modern« einmal das Ergebnis einer formalen Anstrengung war, werden »modern« und »gegenwärtig« heute fast gleichbedeutend verwendet. Verstand sich der Mensch am Anfang des 20. Jahrhunderts eher als Subjekt der Moderne, erkennt er sich hundert Jahre später eher als ihr Objekt. Wie aber soll er, von der Zeit vorangeschoben, unter diesen Bedingungen die Zukunft denken können?

Mag sein, dass wir uns die Häuser, die Uhren,

die Autos, die Kleider der Zukunft vorstellen können, es gibt aber eine Grenze der Imagination, die sich als unüberschreitbar erwiesen hat. Was wir nämlich vor allem kennen müssten, wollten wir die Zukunft kennen, das stellen wir uns nicht vor und können es auch schlicht nicht vorwegnehmen. Es ist unser Bewusstsein, jenes Bewusstsein, das all diese neuen Dinge erschafft und sie sich aneignet, das Bewusstsein, auf dessen Bedürfnisse sie antworten und das sich von ihnen formen und deformieren lässt. Wir ahnen vielleicht, dass wir künftig weniger mitfühlend, weniger solidarisch, weniger sentimental sein werden, doch nennen wir solche Annahmen gerne »kulturpessimistisch« und entsorgen sie auf diesem Weg.

Dabei ließe sich an so vielen oft banalen technischen Errungenschaften nachvollziehen, welche Bewusstseinsleistungen sie nach sich ziehen, fordern und verfeinern. Um nur ein Beispiel zu nennen: Im Jahr 1924 bietet der Autobauer Chevrolet gegen einen Aufpreis von zweihundert Dollar – das waren 25 Prozent des Gesamtpreises! – den Einbau eines Autoradios an. Zwei Geschwindigkeiten begegnen sich, Fahrgeschwindigkeit stößt auf musikalisches Tempo. Plötzlich wird es möglich, Hochgeschwindigkeit zu fahren und einen Trauermarsch dabei zu hören. Der Kopf übertrifft sich schon in diesem einen Fall in neuen Höchstleistungen der Synchronisierung.

Machen wir von hier einen Sprung von nur fünfzig Jahren, dann können wir sagen: Die Erfindung des Mobiltelefons hat das Bewusstsein neu formatiert, andere Simultanitäten ausgebildet. Die Flüchtigkeit der allgemeinen Wahrnehmung hat vielfach die Kontemplation des Betrachters ersetzt, und wie viele Phänomene der Gegenwartskultur folgen demselben Prinzip: Auch das Fernsehprogramm will nicht betrachtet, nicht einmal gesehen werden. Es soll vorbeifliegen und gleich vergessen sein. »Das Fernsehen hat immer nur Vergessen produziert«, sagte Jean-Luc Godard. Ja, und das Erste, was an altem Fernsehen auffällt, ist: wie viel Zeit die Menschen noch hatten, als ihre Bilderwelt konkurrenzarm war.

Die Lust an der Beschleunigung treibt uns in

die Zukunft. Sie inspiriert die Malerei zur Auf-
lösung des Gegenstands in ein Objekt des peripheren Sehens, inspiriert die Fotografie zur
Kopie der Lebensgeschwindigkeit, inspiriert
den Videoclip, die Schnittfrequenz zu erhöhen,
inspiriert die Literatur, es dem Film gleich-
zutun mit asyntaktischen Konstruktionen,
verstümmelten Sätzen, Interjektionen und
einer dem Film zumindest nachempfunde-
nen Schnitttechnik. »Groove«, »flow«, »move«,
»beats per minute« wurden Kernbegriffe. La-
sershows stellten Rapid Eye Movements nach,
die Techno-Beats stimulierten die Herzfre-
quenz. Die Bewegung führte vom Betrachten
zum Sehen zum Glotzen. Und die Beschleunigung der Schnitte im Clip kam endlich bei einer
Frequenz unter der Wahrnehmbarkeit an und
fand den direkten Weg zum Unterbewussten.

Ja, die Zukunft wird schneller sein, und sie
hat längst begonnen, sagen jährlich neu die
Daten-Ingenieure. Wir sind dabei. Jeden Tag
dämmert ein neues Jahr 1984 und dann ein
Jahr 2000, eine neuere Zukunftsformel haben
wir noch nicht. Wir werden diese Zukunft

aber auch daran erkennen, dass die Grenzen zwischen dem Original und der Simulation noch stärker verschwimmen. Deshalb ist ein Lieblingswort der jungen Generation: »echt?« Der Sonnenuntergang ist eine Montage, eine Animation, eine holographische Illusion, eine Bildtapete. Selbst im Original erinnert er an ein Fernsehzimmer. Virtuelle Realität, Cyberspace, Morphing. Und auf einer tiefgefrorenen Hähnchenbrust fand ich unlängst einen Zettel mit der Aufschrift »Mit natürlichem Knochen« – für die gesagt, die das Huhn für eine Molluske halten, oder im Vorgriff auf eine Zeit, in der die Hühnchen ohne Knochen zur Welt kommen werden. »Echt?«

Vor zwanzig Jahren wurde das »Simulacrum« zum philosophischen Passwort und dieses »echt« zum Geschmacksverstärker der Jugendsprache. Seither ist die Kultur in die Epoche des Neo-Historismus und -Manierismus eingetreten. Ihre Schöpfungen sind Anleihen, ihre Hauptwerke Rückgriffe, ihre Originale Lookalikes, ihre Wahrnehmung arbeitet sich ab an Simulationen, ihre Star-Persönlichkeiten sind

Doubles und Resultate medialer Kunstzeugung, und als Konsequenz kann man sich nicht mehr vorstellen, dass eine öffentliche Person anders als durch Kalkül entsteht. Die Zeit der Realität ist vorbei, die der Realitäten tritt in ihre erste Blütezeit. Die Wirklichkeit des klassischen Realismus aber wurde nicht nur durch Fälschungen und Simulationen ad acta gelegt. Sie starb auch in all jenen Archetypen, die kommende Ereignisse zu Déjà-vus degradieren werden: im Golfkrieg als dem ersten Computerkrieg, im Jugoslawienkrieg als dem letzten handwerklichen Krieg. Alles durchfühlt, alles bebildert und ein für alle Male in Teilnahmslosigkeit aufgelöst. Schon diese letzten Großereignisse der Realitätsbeschreibung sind durch Fälschungen und Übertreibung überformt und um ihren Rang als echte Originale gebracht.

Am Ende ist das einzige, wenigstens größtenteils nicht-simulierte Leben jenes, das der Betrachter mit sich selber führt. In der Anstrengung, selbst bilderfähig zu werden und Eintritt in die Welt der Fälschungen zu erlangen, wählt er die Möglichkeit, sich zum Double der eigenen

Person zu veredeln. Das Selfie, die autoerotische Vervielfältigung, die Filialexistenz – ist das die Zukunft des Ich?

Halten wir kurz inne. Mit all unseren Fragen danach, wer wir seien, reichten wir in der Geschichte meist tief hinab in unser Herkommen, in die Quellen unseres vorgeschichtlichen oder geschichtlichen Wesens, erklärten uns historisch, schätzten den Radius unserer Entwicklungsmöglichkeiten ab, beugten uns über unser Spiegelbild wie der Onkel über das Kind, der findet, dass aus diesem eines Tages etwas Großes werden könnte. Wer aber wurden wir?

Erspare ich mir die müßige Frage danach, wie wir wohl künftig sein werden, und nutze die Zukunft vielmehr als die Perspektive meiner Betrachtung der Gegenwart, dann werde ich nicht mehr fragen, wer wir sind, sondern wer wir gewesen sein werden.

Nachzeitig werde ich schauen, aus der Perspektive dessen, der sich seiner Zukunft berauben will, weil sie ihn schauert, im Vorauslaufen zurückblickend, um sich so besser erkennen zu können, und zwar in den Blicken derer, die man enttäuscht haben wird. Geradezu grenzenlos haben wir ja in allen Medien der historischen Rekonstruktion durch die Augen jener blicken gelernt, die waren und gingen. Vergleichsweise selten aber versuchen wir, uns im Blick jener zu identifizieren, die kommen und an uns verzweifeln werden.

Ich sehe uns in dieser Zeit stehen, wie die Leute auf Fotos, die vor zehn Jahren in den Zeitschriften erschienen, als die Abgebildeten noch nicht wussten, dass sie ihr Haus verlieren, von der Dürre vertrieben, vom Krieg versehrt, in die Nervenklinik eingewiesen, auf Entzug gesetzt, von der Insolvenz ereilt werden würden. So stehen wir da, resistent gegen das Unheil, das kommende Generationen in den Details dieser Bilder entziffern werden – ähnlich, wie man heute über die Raucher in den Büros der Sechziger-Jahre-Krimis staunt oder über die fadenscheinigen Fangzäune bei Autorennen oder über die Sommerfrischler, die sich eine Sonnenbrille aufsetzten, um den Test der Wasserstoffbombe aus Liegestühlen zu betrachten.

Das alles geschah, obwohl es diese Zeit geradezu zur moralischen Pflicht erhoben hatte, sich nicht einverstanden zu erklären, Kritik als einen Akt der Besonderung, der Abspaltung, ja der Individuation zu interpretieren. Es war die Zeit, als der Vorwurf der »Affirmation« die Höchststrafe für ein Werk sein konnte, als »Harmlosigkeit« ein Verdikt und »Einspruch« der dringlichste Auftrag an den geistig Arbeitenden genannt wurde. Mit diesem kostbaren Bettel sind Generationen erst in den Wohlstand gezogen, dann in die Indifferenz. Sie lebten asynchron: In einer Zeit dachten, in einer anderen empfanden, in einer dritten handelten sie.

Ja, wir wussten viel und fühlten wenig. Wir durften es nicht fühlen und hörten doch T. S. Eliot fragen: »Where is the wisdom we lost in knowledge? Where is the knowledge we lost in information?« Hörten es und häuften noch mehr Informationen auf. Als brauchten wir zum Handeln einen neuen Klimabericht, einen neuen Schadensbericht über die Weltmeere, den Regenwald, die grassierende Armut. Aber aus all den Fakten ist keine Praxis entsprungen, die auf der Höhe der drohenden Zukunft wäre.

Das Gefühl ist ein schlechter Ratgeber, sagen wir immer noch – als ob der gesunde Menschenverstand ein besserer wäre! – und stärken unser Immunsystem durch Bilder vom Schwund der Menschen, der ertrinkenden, zerbombten, ausgesetzten Menschen, die wir in keine Erzählung bringen, nicht weiterdenken, nicht weiter fühlen wollen.

Nach seiner Rückkehr aus dem Vietnamkrieg, so erzählt Günther Anders von einem amerikanischen Bomberpiloten, wurde dieser von einer Zeitung zu seinen Erlebnissen befragt. Er werde jetzt nachzuvollziehen versuchen, was er getan habe, sagte er und ging ins Kloster. Dort aber ergab alle Selbsterforschung nur, wie unmöglich es ihm war, auf die Höhe der Zeiten zu kommen, jener, die ihn in seinen kriegerischen Aktionen legitimierte, und jener, die ringsum weitergegangen war.

Dort sind wir wieder, in der gleichen dualen Bewegung. So vergewissern wir uns der Politik, der Sachverhalte, aber ebenso des Ichs, das sich das alles gefräßig aneignen muss. Nach einem Jahr im Kloster wird der Mann zitiert mit dem

Satz: »I still don't get it.« Er hatte sich nicht eingeholt. So laufen auch wir uns hinterher, nicht voraus, sind also in diesem Moment gleichzeitig die, die wir gewesen sein werden, und ebenfalls jene, die nicht in der Lage sind, auf die eigene Höhe zu gelangen.

Aber ist das nicht vielleicht das Wesen der Vernunft, dass sie sich nachzeitig formiert und in Modulen? Und war sie so oder musste sie so werden in der Folge einer Anpassungsleistung an die dauernd veränderten Bedingungen unseres Lebens?

Schauen wir also auf den Ursprung und bewegen uns zurück bis in die Situation, in der sich jene zweite Dimension unseres Naturerkennens eröffnete, über die der theoretische Mediziner Emil du Bois-Reymond 1873 in grandiosem, geradezu orchestralem Pathos schreibt: »Allein es tritt nunmehr, an irgendeinem Punkt der Entwicklung unseres Lebens auf Erden, den wir nicht kennen und auf den es hier nicht ankommt, etwas Neues, bis dahin Unerhörtes auf, etwas wiederum, gleich dem Wesen von Materie und Kraft, Unbegreifliches. Der in negativ unendlicher Zeit angesponnene Faden des Verständnisses zerreißt, und unser Naturerkennen gelangt an eine Kluft, über die kein Steg, kein Fittig trägt: Wir stehen vor der anderen Grenze unseres Witzes. Dies neue Unbegreifliche ist das Bewusstsein.«

Und wenn es ihn denn wirklich gibt, jenen Moment der Kluft, »über die kein Fittig trägt«, dann eröffnet sich hier zugleich die Frage: Was wollte das Bewusstsein, als es wurde? Welche Anforderung von außen verlangte nach einer Assimilation durch diese neue Instanz? Und wie lange brauchte diese selbst dann noch einmal, bis das Bewusstsein seiner selbst bewusstwurde, und dann, bis es einen Namen für sich fand? Auch das Wort »Bewusstsein« ist ja jung. Es wird im Jahr 1719 vom Aufklärer Christian Wolff geprägt, übrigens gemeinsam mit den benachbarten Begriffen »Aufmerksamkeit« oder »Bedeutung«.

Gemessen am Pathos jener Morgenröte, in der du Bois-Reymond das Bewusstsein heraufdämmern sieht als ein Medium, in dem sich Gegenstände materialisieren, in dem sie, auch mit Hilfe von Wissenschaft und Künsten, erst Denkinhalte werden, gemessen an dem Versprechen des Begriffs, organisieren wir das Leben geradezu als einen Prozess gegen das Bewusstsein, gegen die Geistesgegenwart, also die Voraussetzung für Mündigkeit, Souveränität, Selbstbestimmung und eine entsprechende vernunftgeleitete Praxis.

An vielen der häufig verwendeten Werkzeuge des Alltags kann man studieren, wie sich die Mittel der Aufklärung auch gegen diese selbst wenden, in Navigationshilfen, Telefonen, Minicomputern, Apps, als Verfügung über Musik- und Textdateien oder digitale Lebenshilfen. Zugleich steht damit auch zur Disposition, was Bewusstsein heißt und bedeutet.

Natürlich ist der wohlfeile Hinweis erlaubt: Was heute »Bewusstsein« heißt, hat sich nur gewandelt. Er ist immer erlaubt und so richtig wie banal. Das entbindet uns aber nicht davon, den Bedeutungswandel dessen, was »Bewusstsein« heißt, zu notieren und die Wichtigkeit dieses Wandels für unser Handeln zu unterstreichen. So hochspezialisiert es nämlich einerseits denkt, empfindet, notiert, urteilt, so pauschal wird es andererseits in Frage gestellt.

Entwicklungsgeschichtlich ist demnach der Punkt erreicht, an dem wir Aufklärung nur denken können, indem wir die Geistesgegenwart retten. Dass wir je diesen Punkt erreichen würden, hat kein Futurologe antizipieren können, stehen wir doch vor einem neuen Imperativ, der uns abverlangt, uns zu vergegenwärtigen im Wortsinn: hier zu sein, in dieser Zeit anzukommen – nicht in der Ferne der Displays, nicht auf den Modulen unserer ausgelagerten Intelligenz, nicht in den virtuellen Universen, nicht in der digitalen Parallelwelt des Sozialen, die sich vor die Realität dieses sozialen Asozialen schiebt, sondern in jener praktischen Welt, in der die Frage nach dem Überleben aller gerade neu gestellt wird. Mit dem Fall des amerikanischen Bomberpiloten gesprochen: Bewusstzuwerden hieße, in der Gegenwart anzukommen, die einmal die unsere gewesen sein wird.

Zu keiner Zeit hat ein Blick in die Öffentlichkeit, die Anschauung von Menschen in den sozialen Situationen des Verkehrs, des Genusses,

Handelns, Reisens, Kommunikation-Betreibens so massenhaft den Eindruck gespiegelt: Sie sind alle nicht da, abgestoßen vom Hier, auf der Flucht, im Zwischenreich, auf dem Wege, zerstäubt in einem Schwarm der Aufmerksamkeiten, in einem dezentrierten Leben, das sich darunter oft phlegmatisch höhlt.

Sie erscheinen wie die Geiseln der organisierten Abwesenheit, geflohen auf die Displays, in die molekularen Nebel anderer Öffentlichkeiten – und ich sage das nicht um einer schnöden Technologie-Kritik willen, über die sich die Effizienz der Technik in ihrer Abstimmung auf unser Wünschen ohnehin hinwegsetzt –, ich sage es im Versuch, eine Vorstellung geistiger Wirksamkeit heute überhaupt zu denken, setzt sie doch eine Einheit des Reflektierens, des panoramischen Blickens, Staunens, Zweifelns, Schauens und, ja, Vergegenwärtigens voraus. Anders gesagt: Von den bewusstseinsbildenden Prozessen der Kultur kann nicht gesprochen werden, ohne zu fragen, unter welchen Bedingungen Bewusstsein heute überhaupt zustande kommt.

Fraglos ist dabei eine neue Qualität der Flüchtigkeit. Der Zeitindex allen Erlebens hat sich geändert. Aus dem Transit ist ein Prinzip geworden, das In-die-Irre-Gehen des Flaneurs ist dem Zoom gewichen, dem Heran-Beschleunigen, der Verdichtung komplexer Zusammenhänge zu Piktogrammen, Signalen, Effekten, die wie die Verbildlichung von Lust-/Unlust-Impulsen daherkommen. Unsere Existenzform ist die Rasanz. Das ist das Therapeutische am Leben im Medium des Smartphones. Wir erwachen im Goldenen Zeitalter der Ruhelosen und werden sagen können: Wenn wir in den Städten auf die Straße traten, hatte der Kampf um unsere Aufmerksamkeit schon eingesetzt. Die Fassaden schrien uns an, die Nackten umgarnten uns in den Auslagen, immer gab es etwas Hingeräkeltes, Schmeichlerisches, das uns besser gefallen wollte als alles sonst auf der Welt. Alles Großaufnahme, alles äußerste Steigerungsform, und wir dazwischen, die umkämpften Abgekämpften.

Dass wir nicht mehr können, erliegen, dass wir unrettbar sind, in der Kapitulation leben, das sagten wir nicht, wir fühlten es bloß, und es gab Waren dagegen, käufliche Stimmungen und Versprechen. Der Mensch für sich, er hat sein Recht verwirkt, es auch draußen zu sein. Die Außenwelt betritt er nur unter Verzicht auf dieses aufgeriebene, kaum mehr souveräne Ich.

Und mehr noch: Wir leben als die neuen Menschen mitten in einer Multiplikation der Aufmerksamkeitsherde. Fahren, Essen, Mailen, Musikhören, Schreiben, Nachrichten-Aufnehmen, all das vollzieht sich im selben Zeitabschnitt. Wir wissen es, wir horten eine Art schlechtes Gewissen angesichts unserer Flüchtigkeit und kultivieren sie weiter, die flache Aufmerksamkeit, die jedes Detail darin weniger prägnant, auch weniger beeindruckend erscheinen lässt.

Neu ist vielleicht nicht der Mensch, der neugieriger auf die Uhr schaut als ins Gesicht der Ehefrau. Neu ist nicht einmal jener, der auf den Bildschirm interessierter blickt als auf die Welt und von »virtueller Welt« spricht, damit sie der alt-analogen wenigstens noch semantisch gleiche. Neu ist eher jener Typus des

»Second-Screen-Menschen«, dem der eine Bildschirm nicht mehr reicht, der ohne mehrere Parallelhandlungen die Welt nicht erträgt und im Blend der Informationen, Impulse und bildgeleiteten Affekte sich selbst eine Art behäbiger Mutterkonzern ist, unpraktisch konfiguriert und irgendwie fern und unerreichbar.

Wir machten dabei nicht der Gegenwart allein den Prozess, sondern unserer eigenen Anwesenheit. Wir fanden, die Räume seien es nicht wert, dass man in ihnen verweilte, wir selbst fühlten uns nicht gemacht, hier zu sein und zu bleiben. Selbst im öffentlichen Raum schwinden ja die Transit-Zonen des reinen Wartens, die Fristen der nicht-effektiven Zeiten, der drohenden Selbstversenkung werden knapp. Musik fällt ein, Bilder strömen, Informationen schwirren aus, ungerufen.

Dauernd öffnen sich neue Räume und in diesen wieder neue, des Konsums, der Serviceangebote, und die Apparate emanzipierten sich: Was dazu da gewesen war, eine Sprechverbindung zu eröffnen, war plötzlich ein Spiegelkabinett, vollgestopft mit Bildern. Ganze Daten-Halden führten wir mit uns, sinnvoll-sinnlos, nütz-lich-nutzlos geballte Nachrichtenkomplexe, Kaufanreize, Orientierungsangebote, Wellness-offerten.

Was ein Telefon gewesen war, wurde ein Zen-tralrechner, was ein Hemd war, ein Thermo-meter, ein Haus wurde eine Komfort-Maschine. Alle Modifikationen mündeten in dieser großen Bequemlichkeit und Verfügbarkeit, die wir kurz genossen, dann kaum mehr empfanden und durch einen neuen Lebenszustand ersetzten: die Überforderung, die Abstumpfung, die Ka-pitulation vor der Entmündigung. Ja, wir brann-ten aus in all der Reibungslosigkeit.

Viele von uns konnte nach einiger Zeit nur noch die Großstadt mit ausreichend Reizen er-nähren. Das Dorf machte Angst wie der Wald oder das Funkloch. Denn dort trat ein Lärm hervor, der hinter dem Lärm der Metropolen unüberhörbar geworden war: die Stille, das Schweigen zwischen denen, die sich nichts zu sagen hatten, Floskeln hervorbrachten, Effekte an die Stelle von Wirkung setzten und die Spuren persönlicher Erfahrung aus der Sprache abzogen. Partiell Leblose, Abgestorbene waren wir, von Impulsen gelenkt, als deren Subjekt wir uns nicht verstanden, und empfanden uns zunehmend als das für diese Welt falsch ausgestattete Individuum. Aggressiv wurden wir, aber aus der Defensive, aus der Anonymität, erklärten unsere Abwehrreflexe zur Notwehr und wollten unsere Zeit lieber nicht auf uns aufmerksam machen.

Gewiss, so sprechen Durchgangsmenschen, fast Überwundene und von ihrer Zeit Niedergerungene. Alle treten irgendwann in diese Zone ein, aber alle dürfen auch fragen, wie sich Bewusstsein auf diesen Voraussetzungen künftig bilden, wie sich ideengeleitetes Handeln realisieren soll, will es auf die Höhe seiner lebenserhaltenden Ansprüche gelangen. Kein Navigationssystem manövriert uns herum um diese Fragen!

Ja, sagen wir dann wie die Veteranen, auch wir hatten unsere Ideale, temporär. Denn wie unter allen anderen Dingen langweilten wir uns auch zwischen den immer gleichen Ideen, den immer gleichen Zielen. Diese hatten wir vielleicht nicht primär, weil die Not unserer Zeit sie uns diktierte, wir hatten sie vielleicht auch, weil wir uns langweilten mit den bekannten Ideen. Deshalb wurde aus ihnen nichts, und eine nach der anderen fielen sie wieder in sich zusammen wie die Kampagnen für Waren. Ja, wir lebten in Ideen-Kampagnen, und jede hatte ihren Jargon.

Mal verlangten wir nach dem femininen, metrosexuellen, verständigen Mann, der die Frau nicht einzig dazu braucht, die eigene weiche Seite zu zeigen. Und im selben Atemzug formierte sich unterdessen der Hang zum rücksichtslosen, rabiaten Alphatier, das seinen Weg geht. Und dasselbe in Mitmensch. In Schlampe. In Kampfhund. In Auto. In der Kontinuität einer einzigen Realität, und sei es die der vitalen Zerstörung, hielten wir es nicht aus.

Mal waren wir für Wachstum, mal für die Life-Work-Balance, mal für den Wettbewerb, mal für Nachhaltigkeit, auch mal für Fortschritt, aber auch für Entschleunigung, für Empathie, dann für Härte, für Gott, für Bush, für Animal rights. Auch in der Sprache bildeten wir immer neue Empfindlichkeiten aus, verfemten Wörter wie »Neger«, »Zigeuner«, »Hasenscharte«, »Unkraut«, »mongoloid«. Ja, wir waren Hochempfindlichkeitsmaschinen und reagierten auf jeden sprachlichen Verstoß mit einem Alarmsignal – das was anzeigen sollte? Reizbar waren wir durch die Vorstellung, dass da unter dem Gesagten etwas Gemeintes sei, etwas Unbearbeitetes, Übles, das sich aus der Masse des Vorbewussten und Verdrängten eines Tages emanzipieren und brisant werden könnte. All das fand mehr in der Sprache als in der Welt der politischen Tatsachen, der Konsumentscheidungen, der Akte kollektiver Zerstörung statt, die wir schmerzloser quittierten.

Empfindlicher als auf die Warnungen und Lebensregeln, die das Gemeinschaftsleben betrafen, reagierten wir auf den Verdacht, dass der sichtbare Mensch nur eine Attrappe sei, die jenen decke, der sich nicht zeigt, der nicht zum Vorschein kommt. Das Heimliche, das einmal das Persönliche, das Private oder das Intime bezeichnet hatte, war plötzlich in den Rang des Bedrohlichen gerutscht. Wir sagten ihm den

Kampf an – nicht weil es gefährlich gewesen wäre, sondern eben weil es heimlich war, und Heimlichkeiten hatte nur noch, wer etwas zu verbergen hatte.

Die Disziplinargesellschaft schafft Verstöße, Übertretungen, Möglichkeiten herauszufallen, nicht dazuzugehören, sich zu verraten, ausgestellt zu werden: Alle sind Schläfer, sagen ein falsches Wort und sind Fatale, Zerstörer, zeigen ihr Wesen. Der Anspruch an die Disziplin auf allen Feldern bringt Querulanten, Hysteriker, Choleriker, Amokläufer hervor, der Anspruch an die Leistungsfähigkeit Versager, Ausgebrannte, Depressive, Menschen, die am Projekt der Selbstwerdung scheitern und sich zwischen den öffentlichen Parametern verlorengehen auf dem Refrain: Ich kann nicht mehr. Ich kann nicht mehr.

Wir kamen aus einer Zeit mit einer hohen Meinung von etwas, das wir »Privatsphäre« nannten, scheu vor der Beobachtung, schüchtern vor dem Ausbreiten unserer intimen, familiären, persönlichen Momente. Wir gaben sie auf. Das Ich war nicht länger schützbar. Es war die Zeit, in der der Außenraum feindlich wurde. Horror vacui. Wir atmeten durch, wenn wir unsere Häuser verließen, von Kameras beobachtet, von unseren Geräten belauscht. Jedes technische Gerät war eine potentielle Beobachtungsstation, ein Angriff auf die Unversehrtheit unserer Integrität. Der Außenraum wurde zu einer Zone, die überwunden werden musste, ehe Zerstreuung und Einkehr in den Shopping Malls übernahmen, die Kontemplation über dem Schuh.

Und der Schuh übernahm. Kein Grund, ihn nicht persönlich zu nehmen und ihn als Teil unseres Ichs der Welt zu zeigen. Wir gaben uns preis, entdeckten den Fortsetzungsroman unseres Lebens und spiegelten ihn nach außen: Ich habe gegessen, ich war krank, ich reiste, der Blick aus meinem Hotelzimmer war dieser: ein Haus, ein Hund, ein Schuh, ein Wetter.

Damit etwas in die Öffentlichkeit trete, brauchten wir kein Epos mehr und keine Idee, keine Legitimität und keine Relevanz, keine Vermittler mehr, keine Journalisten oder Biographen. Wir waren uns selbst genug. Eine riesige autobiographische Welt entstand, ein Konfettiregen der Bilder, Daten, Affekte. Wir wurden ja nicht allein von außen durchsichtig, wir machten uns auch selbst transparent.

Keine Zeit hat je eine Öffentlichkeit so mikroskopisch genau zerlegen und detailvergrößern können wie diese. Damit wandelt sich auch die Idee des Adressaten literarischer Botschaften, des Empfängers pathetischer Aufklärungsideen. Unsere Geschichten vervielfältigten sich ins Maßlose, unsere Empathie aber war nicht gleich stark entwickelt. Wer sollte, wer wollte noch teilhaben? Am Ende waren Sprecher, Aussendende, Bedeutung Beanspruchende überall. Da wurde zum regelrecht idyllischen Ort die Sphäre jener, die schwiegen, nicht teilnahmen, sich unscheinbar machten, sich übersehen ließen.

Es handelte sich um parallele Bewegungen: Die Souveränität ging von den Staaten auf Finanzsysteme und Konzerne über. Autonomie wurde in immer kleinere Zonen zurückgedrängt, radikal verstanden: undenkbar. Zugleich aber blies sich das Individuum auf in nie da-

gewesener, nie möglich erschienener Daten-
fülle aus dem Einzelleben, das bald ein einziges
großes, gleichgeordnetes Massenleben war, das
sich in Massenchoreographien durch die Städte
wälzte. Und während sich all dies vollzog,
wurde das eigene Ich erreicht von einer Müdig-
keit, einem Welken, einem Überdruss an sich
selbst, dem es die letzten Selfies ohnmächtig
hinterherwarf.

Wir waren wie die Landschaft, im Rückzug.
Wir hatten unserem Verschwinden nichts ent-
gegenzusetzen, rieben uns aber auf im engen
Horizont einer Arbeit, die ein Unternehmen
stärken, erfolgreicher, effektiver machen sollte,
aber nicht Lebensfragen beantworten, das
Überleben sichern helfen würde. Kaum blickten
wir in die Vergangenheit, sahen wir nichts als
Fortschritt. Kaum blickten wir in die Zukunft,
nichts als Niedergang. Wir waren jene, die
wussten, aber nicht verstanden, die begriffen,
aber sich nicht vergegenwärtigen konnten, vol-
ler Information, aber ohne Erkenntnis, randvoll
mit Wissen, aber mager an Erfahrung. So gingen wir, nicht aufgehalten von uns selbst.

»Zuerst fühlen die Menschen das Notwendige«, schrieb Giambattista Vico 1725, »dann achten sie auf das Nützliche, darauf bemerken sie das Bequeme, weiterhin erfreuen sie sich am Gefälligen, später verdirbt sie der Luxus, schließlich werden sie toll und zerstören ihr Erbe.« So zittert in der Prosa alles nach: der Genuss der Tollheit, der Genuss der Zerstörung, der Genuss einer Sprache, die so zerstört! Wir hören sie und fühlen in ihr die Wucht der gläubigen Barbaren, die mit dem Vorschlaghammer im Weltkulturerbe stehen, um es zu zertrümmern und seiner Nicht-Existenz zu überführen – ein symbolisches Bild, an dem wir alle symbolisch partizipieren.

Nein, die Fähigkeit zur Entzivilisierung ist uns nicht abhandengekommen. Sie ging mit der technischen Beherrschung einher: Wir wurden alles gleichzeitig, souveräner und ohnmächtiger, sicherer und instabiler, zielstrebiger und zerstreuter ... Wie überkommen wirkt dagegen ein Begriff von Individualität, der sich durch die kontinuierliche Persönlichkeit auszeichnet, durch eine Fähigkeit, bei sich zu bleiben, folgerichtig zu sein, konsequent! Wie angejahrt scheinen da auch jene Verhaltensformen, die die künstlerische Hervorbringung ebenso wie die ideale Rezeption charakterisieren: Betrachten, Staunen, Versenken, Kontemplieren, Beeindrucken, Erschüttern.

All das existiert in uns fort als eine Mutmaßung des Eigentlichen, jedoch vertagt. Wir wissen soeben noch, dass wir flach wahrnehmen, flach wurzeln, Bestandsaufnahmen durch Inventarlisten ersetzen, Kontexte durch Inhaltsangaben. Alles andere verschieben wir auf später. Ja, die Erfahrung wird zum Inbegriff dessen, was warten muss, und auch der Flaneur verschiebt seine Wanderungen ins Netz.

Wir kultivieren die Idee der Erfahrung – im Unterschied zum praktischen Erleben – wie ein Paradigma aus alten Zeiten, sind aber zugleich die Zeit, die den Erzählungen den Garaus macht, die großen epischen Strukturen zertrümmert, die Aufmerksamkeitsspannen reduziert. Nicht, dass es den Roman nicht mehr gäbe, doch zieht er wie ein Mammut, wie eine schwere Antiquität durch die Landschaft der

Literatur, mit seinem behäbigen Tempo, seiner Selbstgewissheit, seinen alten Augen, die unfähig sind, einen Comic zu entziffern.

Um 1800, um 1900, dann wieder um das Jahr 2000 erlebten »Fragment«, »Aufzeichnung«, »Skizze«, »Story«, sogar »Splitter« überschriebene Texte ihre Blütezeiten und befeuerten, auch abhängig von den jeweiligen technischen Verbreitungsmöglichkeiten, immer neue Modernisierungsschübe – erst in Parabel und Kalendergeschichte, dann in Feuilleton und Kurzgeschichte, schließlich in Blog und SMS. Diese knappen Formen waren es, die die Taktung des literarischen Erlebens skandierten, und Alfred Polgar merkte sogar an, angesichts des Tempos der Zeit, der Geschwindigkeit der Rezeption, der Notwendigkeit zu verdichten, verstehe er es noch eher, dass jemand Romane schreibe, als dass er sie auch lese.

Auf unsere Zeit übertragen, heißt das, noch einmal: Wir verstehen die Menschen meist weniger aus ihrer Geschichte als aus einem Wort, einem Fauxpas, einer Geste, einer Einzeltat. Unsere Filme sind Effekt-Regen, Montagen aus

Affektkomplexen, in denen sich Filialexistenzen um die eine organisieren. Wir parzellieren uns, wir zerstäuben, oder, wie es Ulrich, der »Mann ohne Eigenschaften«, sagt: »Es steht nicht mehr ein ganzer Mensch einer ganzen Welt gegenüber, sondern ein menschliches Etwas bewegt sich in einer allgemeinen Nährflüssigkeit.«

Wenn es also wahr ist, dass wir atomisiert leben, in kurzen Etappen der Präsenz, getrieben vom Etcetera, in einer impulsiven Kultur, aufgelöst in Zonen der peripheren Wahrnehmung, des dezentralen Blickens, dann wäre es eine Voraussetzung für alle Botschaften von verallgemeinerbarem Gehalt, im Sinne Nietzsches dem Auge die Geduld anzugewöhnen, den Impuls zu korrigieren.

Im Zögern unterscheidet sich das Denken von der Arbeit. In der Unschlüssigkeit, der verweilenden, unabgeschlossenen Geste, in der Trägheit sogar tun sich Zustände der Sammlung auf. Dieses nicht effiziente, abirrende, irgendwie ausgesetzte Verhalten zur Welt, eines, dem keine App zu Hilfe eilt, dieses desorientierte, sich selbst überlassene Treiben ist im Kern

47

poetisch, aus der Zeit gefallen und deshalb geeignet, ihre Betrachtung aus der Halbdistanz zu stimulieren.

In dieser Zone des Innehaltens oder Verweilens entsteht aber nicht das Staunen allein, auch das Urteil bildet sich hier, als eine Reflexion des Augenscheins, ein Begrifflich-Werden des Impulsiven. Denn ein Lust-Reiz ist noch kein Urteil, ein Unlust-Impuls keine Kritik. Doch weil sich Vorurteile gegen alle Anschauung so bruchfest als Orientierungshilfen bewähren, möchten wir gerade auf sie nicht verzichten, auch wenn sich die Welt in ihnen nicht erklärt, sondern zu einer Ordnung des Affekts, des Ressentiments, unter Umständen der blinden Aversion und Voreingenommenheit schließt. Diese ist so stabil auch, eben weil sie sich gegen den Augenschein, gegen die Erfahrung, die Reflexion, das Urteil imprägniert und eben so die Orientierung vereinfacht.

Vergangene Jahrhunderte erdachten einen Imperativ mit dem Wortlaut »Mensch, werde wesentlich« und instrumentierten ihn mit immer neuen Vorstellungen dessen, was ein vollständiges Individuum, eine symmetrische Persönlichkeit, ein schöner Mensch oder Wilder sei.

Unser Beitrag zu dieser Geschichte ist der Begriff »Selbstoptimierung«. Ihn behaupten wir gegen die Vorstellung vom altmodischen, strapazierten, unpraktischen, heimgesuchten Menschen, dessen Individualität Schmerz, Krankheit, Melancholie, Ermüdung, Schwärmerei ist und sich Mangelerscheinungen verdankt, Anomalien, fixen Ideen, lauter Hindernissen im Prozess effektiver Selbstausbeutung.

In den Himmel unserer Vorbilder promovierten wir den Rechner, vorbildlich durch seine Geschwindigkeit, seine Kapazität, seine Leistungsfähigkeit auf dem Feld der unendlichen Parallelhandlungen, ein Ebenbild, das nicht sucht, nicht irrt, nicht zögert, das keinen Raum lässt für die Unterbrechung, die Erschöpfung, den Interimszustand, den Irrweg, die Ratlosigkeit der Pause, den Skrupel. Ein Vorbild, das nicht nach der wichtigsten Information fragt, sondern nach der ersten, und diese ist bezeichnenderweise meist an den Verkauf gebunden.

Was für ein Rückgriff auf urzeitliche Beziehungen! In der Ethnologie gelten Zeigebewegungen als zu kurz geratene Greifbewegungen. Ja, so ein Rechner ist sogar von vorbildlicher Dummheit, ohne Einstrahlungen von Differenz, ohne die Anfechtungen einer Subjektivität, die manchem schon wie eine zu überwindende Kulturstufe erscheint.

So dehnt sich zugleich die Logik entfremdeter Arbeit in allen Zonen der Persönlichkeitsbildung aus: Nicht nur ermöglichen wir unseren Arbeitgebern schrittweise die restlose Verfügung über unsere Person durch schrankenlose Erreichbarkeit, über unsere Lebensführung durch Übermittlung unserer Gesundheitsdaten, über Identifikationen, die Sektenstrukturen haben und Persönlichkeitsrechte kränken, wir leiden sogar unter »Freizeitstress«, übersetzen unser Tun in Kosten-Nutzen-Kalkulationen, sind Spezialisten für Dinge, die einmal der Effizienz entzogen waren: Freizeit, Faulheit, Prokrastination, Selbstversenkung, Trauer, alles wird Wissenschaft, wird Kompetenz, wird Arbeit. Etwas zu erarbeiten ist die Erholung.

Die Arbeit, werden wir schließlich sagen können, war unsere Metapher, das Medium, das uns vor der Betrachtung der Existenzfragen, vor der Sichtung der Bedrohungen, vor dem Protest und der Ohnmacht bewahrte, und manchmal wachten wir auf, mitten in einer großen Stadt, wo der Coca-Cola-Spot laut von den Videowänden schallte, so dass sich der Schrei der Möwen dagegen kaum behaupten konnte, und fragten: Warum? Wie weiter? Alte Fragen, an denen wir zuerst wahrnahmen, dass sie alt waren und dass sie weichen würden, dem Coca-Cola-Spot und seinem Crescendo der in der Brause jauchzenden Lebensfreude, die perlt und schäumt, wie wir es tun, wenn wir die Protagonisten eines Werbespots sein wollen oder uns so fühlen dürfen.

Wir waren die, die verschwanden. Wir lebten als der Mensch, der sich in der Tür umdreht, noch etwas sagen will, aber nichts mehr zu sagen hat. Wir agierten auf der Schwelle – von der Macht des Einzelmenschen zur Macht der Verhältnisse. Von der Macht der Verhältnisse in die Entmündigung durch Dinge, denen wir Namen gaben wie »System«, »Ordnung«, »Marktsituation«, »Wettbewerbsfähigkeit«. Ihnen zu genügen, nannten wir »Realismus« oder »politische Vernunft«. Auf unserem Überleben bestanden wir nicht. Denn unser Kapitulieren war auch ein »Mit-der-Zeit-Gehen«.

So bewegten wir uns in die Zukunft des Futurums II: Ich werde gewesen sein. Da aber die meisten Menschen kein moralisches Verhältnis zur Zukunft haben, sondern ein pragmatisches, und da die großen Zukunftsträume ausgeträumt oder wahr geworden sind, stellen sich die Menschen die Zukunft oft nur noch unscharf vor. Nur Zeiten, die vieles zu wünschen übriglassen, sind auch stark im Visionären. Diese unsrige Zeit ist es nicht, deshalb befindet sich die Zukunft auch eher im Stillstand und wird einstweilen weniger imaginiert als vielmehr organisiert und kontrolliert.

Die letzte Epoche der Utopie hat begonnen, und wie alle Ressourcen wird auch die Zukunft knapp. Am Ende aller Berechnungen ist sie eben keine gänzlich Unbekannte mehr. Was kommt, kommt dann nicht als Utopie, sondern als Spekulationsobjekt der Realpolitik, und da die wahren Paradiese ohnehin jene sind, die wir verloren haben, stellen sich viele die ideale Zukunft schon vor als die Wiederkehr des Vergangenen oder schlicht als Erlösung. So gesehen hat die alte Zukunft keine Zukunft.

Doch nicht damit will ich enden, sondern mit jenen Menschen, die ehemals in eine Vorstellung der Zukunft aufbrachen, indem sie, in einen Stahlmantel eingeschlossen, befeuert von einer haushohen Stichflamme explodierenden Treibstoffs in den erdnahen Weltraum katapultiert wurden, jene paar hundert Menschen, die außerhalb der Erdatmosphäre geatmet haben, in der Schwärze des Orbits, in jenem Raum, der so lange die Zentralperspektive aller Zukunftsvisionen bildete.

Vergessen wir für einen Augenblick das Technische daran und konzentrieren uns auf das Ästhetische. Nichts scheint die ersten Weltraum-Reisenden vorbereitet zu haben auf das, was die Anschauung des Alls und der Erde im All in ihnen auslösen würde, demütig und poetisch haben sie sich dem quasi Religiösen einer

Erfahrung des Exterritorialen zu stellen versucht und wieder einen ersten Blick geworfen. Einige haben für diese Erfahrung das alte Wort »Ehrfurcht« verwendet, haben im Angesicht der unendlich empfindlichen Hülle der Biosphäre von »Respekt« und »Achtung« vor der Schöpfung und von der »persönlichen Beziehung« zum »Heimatplaneten« gesprochen, haben aus diesem Erleben ein Gefühl der Verantwortung abgeleitet und sich in einer tieferen Bedeutung als »Erdenbürger« erkannt.

»Ich schwebte, als sei ich im Innern einer Seifenblase«, sagte der polnische Kosmonaut Mirosław Hermaszewski. »Wie ein Säugling im Schoß der Mutter. In meinem Raumschiff bleibe ich immer das Kind der Mutter Erde.« Es gab Kosmonauten, die auf ihre Reise Musik mitnahmen, aber zuletzt fast nur noch Kassetten mit Naturgeräuschen hörten: Donnergrollen, Regen, Vogelgesang. Andere hatten ein Gemüsebeet im All und züchteten Hafer, Erbsen, Rüben, Radieschen und Gurken, strichen mit der Handfläche beseligt über die frischen Pflänzchen oder empfanden tiefe Trauer, als

Fische in einem Becken die Reise nicht überstanden. Am äußersten Ende der Exkursion zu den Grenzen des Erreichbaren, die technologische Rationalität mit einer Meisterleistung krönend, entdeckten sie das Kreatürliche, das Spirituelle und das Moralische und kehrten zurück zum Anfang, zum Kind, zum Säugling, der da liegt wie der zusammengekauerte Todesschläfer, der letzte komplette Mensch. Seine Zukunft muss ihm unvorstellbar gewesen sein. Sie ist es noch.

Editorische Notiz

Im Sommer 2015 arbeitete Roger Willemsen intensiv an einem neuen Buch. Es sollte »Wer wir waren« heißen und unsere Gegenwart aus der Perspektive der Nachzeitigkeit, also der Zukunft, betrachten. Er meinte es ernst mit dieser Perspektive, mit ihrem moralischen Subtext, ihren ethischen Implikationen, und er suchte nach einer literarischen Möglichkeit, seinen Beobachtungen und Gedanken die nötige Kontur und Plausibilität zu verleihen.

Roger Willemsen hat dieses Buch nie geschrieben. Als er von seiner Krebserkrankung erfuhr, legte er den Stift zur Seite und zog sich aus der Öffentlichkeit zurück. Er tat dies so konsequent, wie er von jeher schrieb, sprach und handelte, dem eigentlichen Leben noch im Sterben so zugewandt, wie man es von ihm als Schriftsteller, Denker und Redner kannte.

»Wer wir waren« wird man also so, wie Roger Willemsen es sich vorstellte, nie lesen können. Aber er hat einen Text hinterlassen, der eine Ahnung von seinem Vorhaben vermittelt: Als Roger Willemsen am 28. Juni 2015 in Düsseldorf im Rahmen der Verleihung der Ehrengabe der Heinrich-Heine-Gesellschaft seine Dankesrede hielt, war dies ein erster Test für die Gedanken, die ihn in Zusammenhang mit seinem Buchvorhaben beschäftigten. Vermutlich blieben sie von vielen Zuhörern in ihrer Ernsthaftigkeit unverstanden. Das war einen Monat später anders, als er eine überarbeitete Fassung unter dem Titel »Zukunftsrede« am 24. Juli 2015 im Rahmen der Festspiele Mecklenburg-Vorpommern auf dem Gutshof Landsdorf hielt. Es war sein letzter öffentlicher Auftritt.

Im Nachlass befinden sich drei Fassungen der »Zukunftsrede«: eine frühe Datei mit der Langfassung, eine spätere Datei mit einer für den Auftritt in Landsdorf gekürzten und überarbeiteten Fassung und ein Ausdruck dieser kurzen Fassung mit zusätzlichen handschriftlichen Änderungen und eingeklammerten Passagen, die Roger Willemsen für den Fall, im Reden weiter kürzen zu müssen, markiert hatte. Für den Druck haben wir die gekürzte Fassung als Grundlage verwendet, aber die handschriftlichen Änderungen eingearbeitet und die offenbar aus Kürzungsgründen weggefallenen Passagen aus der Langfassung übernommen. Offensichtliche Fehler wurden stillschweigend bereinigt.

Einige kurze Passagen dieser Rede hat Roger Willemsen aus früheren Büchern wie »Der Knacks« und »Gute Tage« übernommen. Sie gehören zum Material-Fundus, mit dem er für Reden und Auftritte gearbeitet hat. Für sein entstehendes Buch »Wer wir waren« hatte er darüber hinaus eine neue und umfangreiche Materialsammlung angelegt.

Wir wollen diesen letzten Text, der Roger Willemsen so wichtig war, seinen Leserinnen und Lesern zugänglich machen. Sie werden einen Ton der Ernsthaftigkeit und Melancholie wahrnehmen, der zwar alle Werke Roger Willemsens durchzieht, aber wohl noch nie so dominiert hat. Und trotzdem ist auch

dieser Text hoffnungsvoll, fordert er doch über-
deutlich zum Handeln und Umdenken auf.
Die »Zukunftsrede« ist Roger Willemsens Ver-
mächtnis.

Insa Wilke
Frankfurt am Main, August 2016